Bonne nuit autour du monde

Andrea Lynn Beck

Texte français d'Isabelle Montagnier

■SCHOLASTIC

Dans notre maison sur l'océan,
c'est maintenant la nuit.
Pour mon frère et moi,
c'est l'heure d'aller au lit.

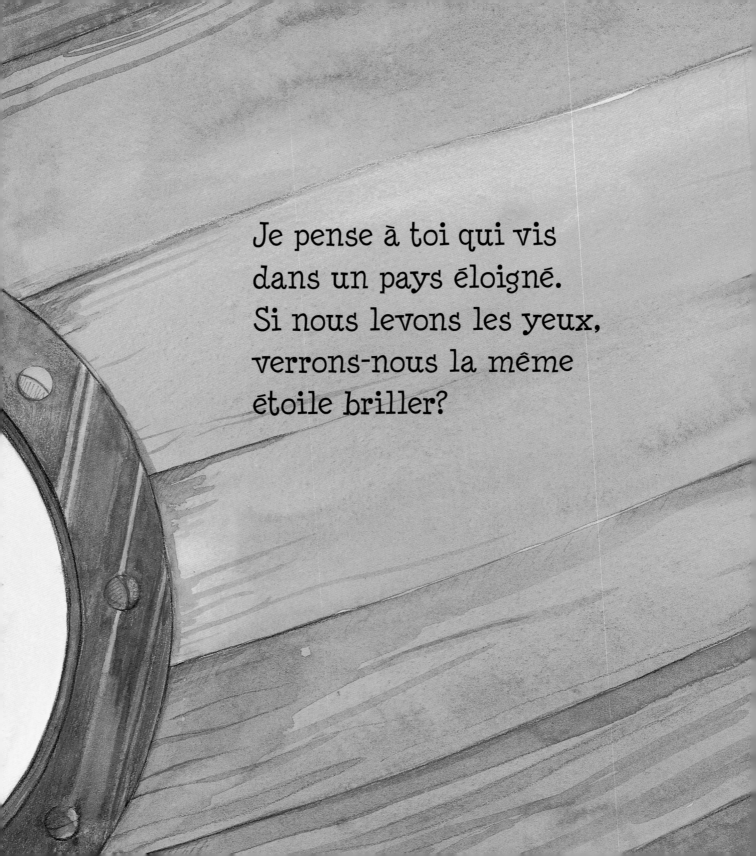

Je pense à toi qui vis
dans un pays éloigné.
Si nous levons les yeux,
verrons-nous la même
étoile briller?

Où te trouves-tu?
Est-ce le soir chez toi?
Es-tu à Tombouctou, assis
dans ton lit comme moi?
Vis-tu en Afrique
ou bien en Asie?
Demeures-tu dans
la lointaine Australie?

Sortons nos cartes!
Tu vis peut-être en Europe
ou en Amérique?
À moins que tu ne vives
en Antarctique?

Je me demande à quoi
ressemblent les maisons
dans ton pays.

Sont-elles creusées
dans la roche?
Ont-elles des toits arrondis?

Habites-tu dans une maison en brique?

Y a-t-il des chèvres
sur le toit?

Peut-être que ta maison flotte
au bord d'un quai en bois!

Dors-tu dans une yourte?

Ou dans une cabane
haut perchée?

Ou encore dans un gratte-ciel
de verre et d'acier?

Le toit de ta maison
est-il en chaume?
Les murs sont-ils construits
en terre?

Habites-tu une maison sur pilotis dans une rivière? Où que tu sois, dans un château ou sous une tente, je penserai à toi en regardant cette étoile brillante.

Le monde est à la fois
si petit et si grand!
C'est notre maison
en des lieux différents.
Alors je te souhaite
une bonne nuit.
Bonne nuit à nous tous
et à notre monde aussi!

Le monde est à la fois si petit et si grand!

Un jour, j'ai rencontré un jeune garçon qui vivait sur un bateau de pêche, à Grenade, dans les Antilles. Ce garçon a été la source d'inspiration de cette histoire. Dans le monde, de nombreuses familles et même des villages entiers vivent sur l'eau.

Ces maisons ressemblent à des ruch[e] Elles sont inspirées des maisons syriennes aux toits arrondis. Elles s[o] construites avec des matériaux locau[x] de la boue, du gazon et de la terre, ou béton, de l'acier, du plastique et mêm[e] la neige!

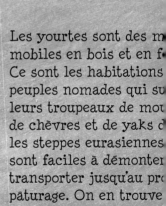

La maison en brique de l'histoire a été construite avec des briques en argile cuites dans un immense four. Les briques résistent bien aux intempéries et durent plus de 100 ans. On peut les utiliser pour construire des maisons individuelles, des maisons en rangée et des immeubles.

Une fois, j'ai visité un marché fermier où des chèvres broutaient sur un toit. J'ai alors souhaité avoir des chèvres sur le toit de MA maison! On trouve surtout des toits verts en Scandinavie et en Islande, mais on en voit ailleurs aussi, même dans les villes, au sommet de grands bâtiments.

Les yourtes sont des m[aisons] mobiles en bois et en f[eutre.] Ce sont les habitations [des] peuples nomades qui su[ivent] leurs troupeaux de mou[tons,] de chèvres et de yaks d[ans] les steppes eurasiennes. [Elles] sont faciles à démonter [et à] transporter jusqu'au pro[chain] pâturage. On en trouve [aussi] dans les villes de Mong[olie.]

Les maisons flottantes sont différentes des voiliers parce qu'elles restent généralement amarrées à un quai. Dans de nombreuses villes situées au bord de l'eau, des maisons flottantes sont ancrées en permanence dans les ports ou les canaux. Ces maisons sont parfois colorées et fantaisistes comme celles de ce livre.

Dans ce livre, la cabane dans l'arbre est un endroit magique qu'un enfant pourrait imaginer. On trouve partout dans le monde des cabanes étonnantes où des familles habitent. Toutefois, de nos jours, la plupart d'entre elles sont des hôtels pour touristes ou des cabanes de jeu pour les enfants.

Dans la plupart des villes, en plus des maisons individuelles, on trouve de grands bâtiments divisés en petits foyers appelés appartements. Ceci permet à un plus grand nombre de gens d'habiter en ville.

maisons en terre sont solides et les ériaux de construction ne coûtent pas r. De plus, elles restent fraîches quand ait chaud dehors! Les murs sont faits erre, de sable, d'argile ou de bouse angés à des branches et à de la paille, matériaux qu'on trouve sur place. fois, tous les villageois s'entraident r bâtir une maison.

Un jour, je suis restée dans une maison sur pilotis. Une brise agréable la balayait parce qu'elle était en hauteur. Les pilotis protégeaient aussi la maison des inondations. C'était une maison en bois, comme sur l'illustration.

C'est notre maison en des lieux différents.

te de nombreux types de ns en bois dans le monde. aison ressemble à celle-ci!

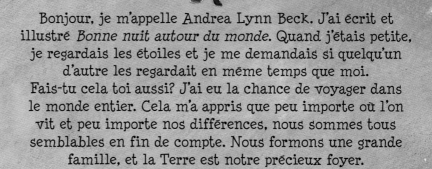

Bonjour, je m'appelle Andrea Lynn Beck. J'ai écrit et illustré *Bonne nuit autour du monde*. Quand j'étais petite, je regardais les étoiles et je me demandais si quelqu'un d'autre les regardait en même temps que moi. Fais-tu cela toi aussi? J'ai eu la chance de voyager dans le monde entier. Cela m'a appris que peu importe où l'on vit et peu importe nos différences, nous sommes tous semblables en fin de compte. Nous formons une grande famille, et la Terre est notre précieux foyer.

Pour Kathryn et John
qui suivent leur étoile.

Les illustrations de ce livre ont été réalisées au crayon
et à la peinture sur du papier aquarelle.

Catalogage avant publication de Bibliothèque et Archives Canada

Titre: Bonne nuit autour du monde / Andrea Lynn Beck ; traduction d'Isabelle Montagnier
Autres titres: Goodnight, world. Français

Noms: Beck, Andrea, 1956- auteur, illustrateur. | Montagnier, Isabelle, traducteur.
Description: Traduction de: Goodnight, world.

Identifiants: Canadiana 20190067837 | ISBN 9781443148665 (couverture souple)
Classification: LCC PS8553.E2948 G6714 2019 | CDD jC813/.54—dc23Copyright © Andrea

Édition publiée par les Éditions Scholastic, 604, rue King Ouest,
Toronto (Ontario) M5V 1E1 CANADA.

6 5 4 3 2 1   Imprimé en Malaisie 108   19 20 21 22 23